LAULUSILD

NAISKOORILE

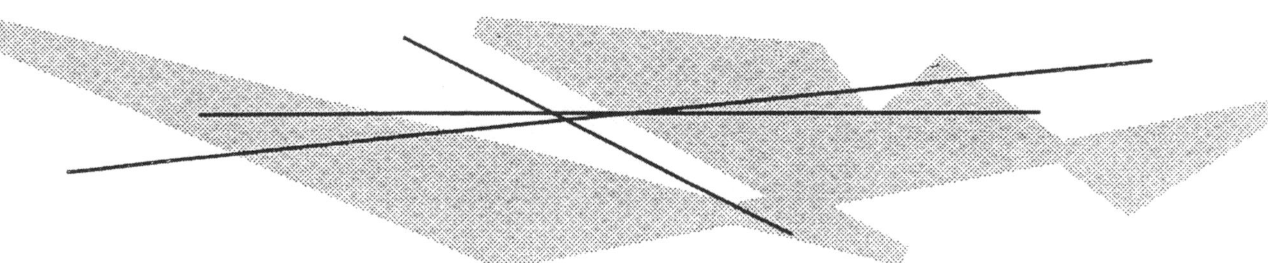

BRIDGE OF SONG

FOR FEMALE CHORUS

VELJO TORMIS

LAULUSILD
BRIDGE OF SONG

NAISKOORILE

FOR FEMALE CHORUS

FENNICA GEHRMAN

Cover design by Kersti Tormis

Pühendatud Uolevi Lassanderile

Laulusild

("Kalevala" ja eesti rahvaluule)

Omistettu Uolevi Lassanderille

Laulusilta

("Kalevala" ja virolainen kansanlaulu)

Dedicated to Uolevi Lassander

Bridge of Song

(Words from "Kalevala" and Estonian folk song)

Naiskooriversioon
Version for female chorus

Veljo Tormis
1981

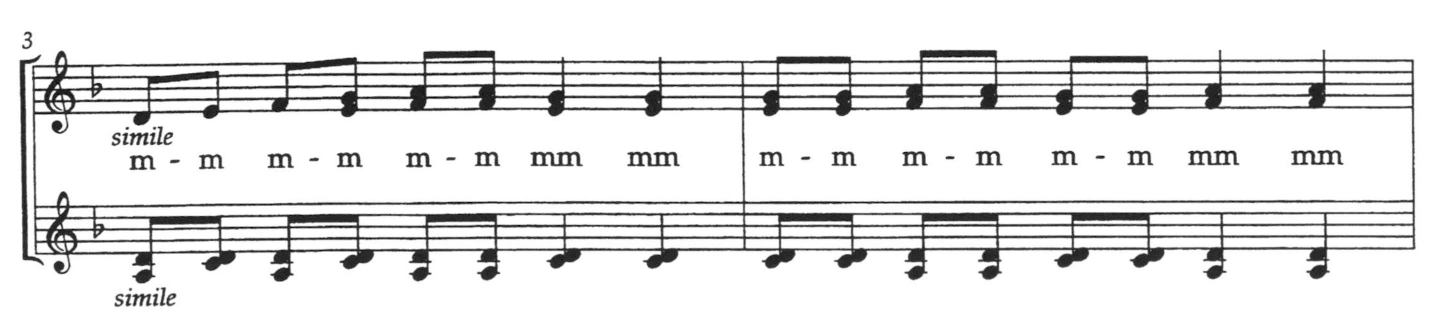

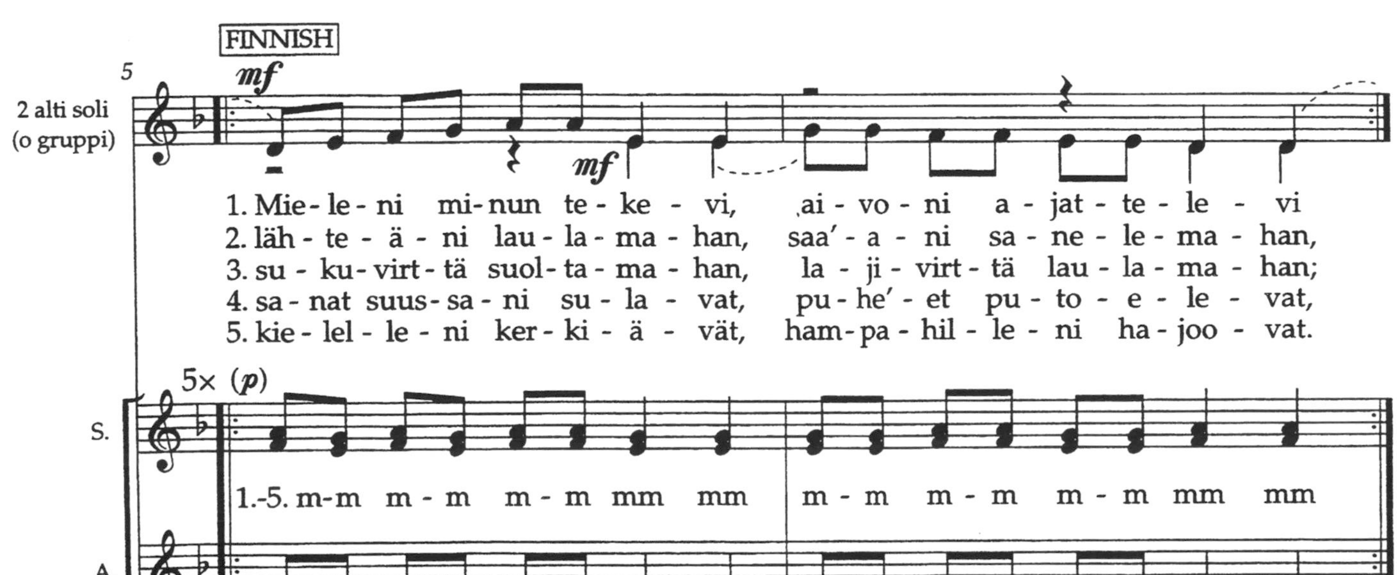

ESTONIAN

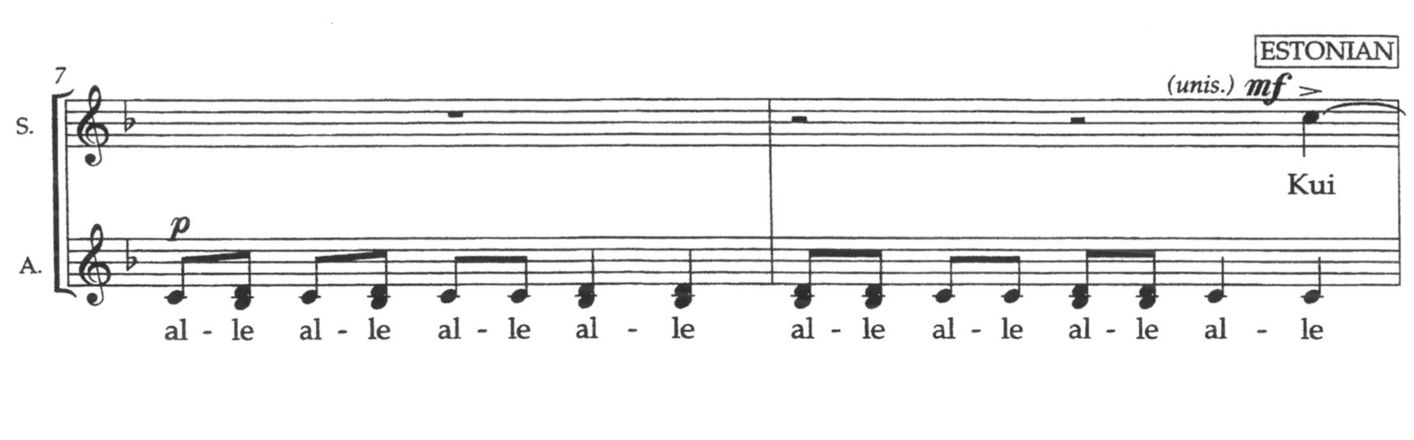
7
S.
A.
(unis.) mf
Kui
p
al - le al - le al - le al - le al - le al - le al - le al - le

9
1. ma hak-kan lau - le - mai - e, al - le - aa, al - le - aa, lau -
2. -le - mai - e, las - ke - mai - e, al - le - aa, al - le - aa. aa
al - le al - le al - le al - le al - le al - le al - le al - le

11
3× p
poco a poco cresc.
1.-3. aa
aa
p
poco a poco cresc.
1. Ve - li kul - ta, veik - ko - se - ni, kau - nis kas - vin - kump - pa - li - ni!
2. Lähe nyt kans - sa lau - la - ma - han, saa ke - ra sa - ne - le - ma - han
3. yh - te - hen y - hyt - ty - äm - me, kah - ta' - al - ta käy - ty - äm - me;

13
mf
poco a poco cresc.
al - le - aa al - le -
mf
poco a poco cresc.
har - voin yh - te - hen y - hym - me, saam - me toi - nen toi - si - him - me

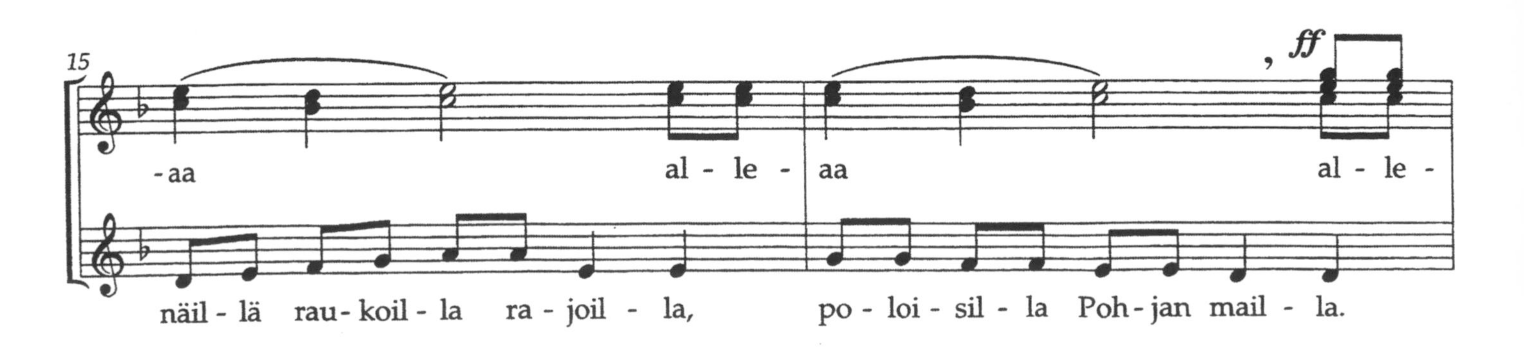
15
ff
- aa al - le - aa al - le -
näil - lä rau - koil - la ra - joil - la, po - loi - sil - la Poh - jan mail - la.

17
-aa aa - al - le - aa al - le - aa al - le -
ff
Lyö - käm - me kä - si kä - te - hen, sor - met sor - mi - en lo - ma - han,
19
-aa aa - al - le - aa al - le - aa aa
lau - lo - ak - sem - me hy - vi - ä, pa - ra - hi - a pan - nak - sem - me,
21
poco a poco dim.
al - le - aa aa
poco a poco dim.
kuul - la noi - en kul - tai - si - en, tie - tä mie - li - teh - toi - si - en,
23
aa
p
al - le - aa
nuo - ri - sos - sa nou - se - vas - sa, kan - sas - sa ka - su - a - vas - sa.
25
1.-2. aa
aa
mf
1. Ve - li kul - ta, veik - ko - se - ni, kau - nis kas - vin - kump - pa - li - ni!
2. Lähe nyt kans - sa lau - la - ma - han, saa ke - ra sa - ne - le - ma - han
mf

27
dim.
yh - te - hen y - hyt - ty - äm - me,
kah - ta' - al - ta käy - ty - äm - me.
dim.

29
Sopr. solo
(o gruppo)
f
Kui
p unis.
S.
uu
A.
p

31
Sopr. solo
(o gruppo)
1. ma hak- kan lau - le - mai - e, al - le - aa, al - le - aa, lau -
2. -le - mai - e, las - ke - mai - e, al - le - aa, al - le - aa. aa
mf
2 alti soli
(o gruppi)
mf
1. Lyö - käm - me kä - si kä - te - hen, sor - met sor - mi - en lo - ma - han,
2. lau - lo - ak - sem - me hy - vi - ä, pa - ra - hi - a pan - nak - sem - me.
S.
(uu)
A.

33
mp
p
aa
Har-voin yh - te - hen y - hym - me, saam-me toi - nen toi - si - him - me
35
p
pp
näil - lä rau - koil - la ra - joil - la, po - loi - sil - la Poh - jan mail - la.
37
S.
A.
39
uu
uu

LAULUSILD
"Kalevala" ja eesti rahvaluule

Mieleni minun tekevi,
aivoni ajattelevi
lähteäni laulamahan,
saa'ani sanalemahan,
sukuvirttä suoltamahan,
lajivirttä laulamahan.
Sanat suussani sulavat,
puhe'et putoelevat,
kielelleni kerkiävät,
hampahilleni hajoovat.

Veli kulta, veikkoseni,
kaunis kasvinkumppalini!
Lähe nyt kanssa laulamahan,
saa kera sanelemahan
yhtehen yhyttyämme,
kahta' alta käytyämme;
harvoin yhtehen yhymme,
saamme toinen toisihimme
näilla raukoilla rajoilla,
poloisilla Pohjan mailla.

Lyökämme käsi kätehen,
sormet sormien lomahan,
lauloaksemme hyviä,
parahia pannaksemme,
kuulla noien kultaisien,
tietä mielitehtoisien,
nuorisossa nousevassa,
kansassa kasuavassa.
In Finnish

Kui ma hakkan laulemaie,
alleaa, alleaa
laulemaie, laskemaie...
alleaa, alleaa.
In Estonian

BRIDGE OF SONG
From *Kalevala* and Estonian folk song

I have a good mind
take into my head
to start off singing
begin reciting
reeling off a tale of kin
and singing a tale of kind.
The words unfreeze in my mouth
and the phrases are tumbling
upon my tongue they scramble
along my teeth they scatter.

Brother dear, little brother
fair one who grew up with me
start off now singing with me
begin reciting with me
since we have got together
since we have come from two ways!
We seldom get together
and meet each other
on these poor borders
the luckless lands of the North.

Let's strike hand to hand
fingers into finger-gaps
that we may sing some good things
set some of the best things forth
for those darling ones to hear
for those with a mind to know
among the youngsters rising
among the people growing.

Translated by Keith Bosley

When I start to sing,

to sing, to spin a yarn...

Translated by Kaja Kappel

Laulusild

Vajadus sellise laulu järele tekkis siis , kui pärast pikki nõukogulikke isolatsiooniaastaid Eesti jaoks vähehaaval uuesti hakkasid avanema läänemaailma väravad. Nad avanesid põhja suunas, eestlaste lähimate hõimu- ja keelesugulaste soomlaste kaudu. Eestit lahutab Soomest vaid 80 km laiune Soome laht. Mõiste "Soome sild" esineb juba eesti vanades rahvalauludes ning eeposes "Kalevipoeg". Konkreetse hõimuihaluse tähenduse omandas silla kujund Eesti ärkamisajal 1860-70 aastail, esimese üldlaulupeo päevil.

Selle laulu esimesteks esitajateks olid Tapiola lastekoor (Erkki Pohjola) ja lastekoor "Ellerhein" (Heino Kaljuste). Nende ja teistegi kooride vastastikuseid kontserdimatku oli korraldamas Soome kooriühingu SULASOL sekretär Uolevi Lassander, kellest kujunes eesti koorilaulu vahendaja Soomes. Temale, praktilisele sillaehitajale, on pühendatud see laul.

"Laulusilla" aluseks on vanad rahvaviisid. Iga soomlane tunneb "Kalevala" algusvärsse koos vana runoviisiga, iga eestlane teab oma laulualustust "Kui ma hakkan laulemaie". Need on sillapostid.

Veljo Tormis

Bridge of Song

The need for such a song appeared when, after the long years of the Soviet isolation, the gates to the Western world started slowly to re-open for Estonia. They opened to the North, to our closest relatives by kin and language, the Finns. Only the 80 km of the Gulf of Finland separate Estonia from Finland. The concept of a Bridge to Finland appears already in old Estonian folk songs and the Estonian national epic *Kalevipoeg.* The image of a bridge acquired the nature of a more definite aspirations for kinship during the period of the Estonian National Awakening in the 1860s-1870s, in the days of the first All-Estonian Song Festival.

The Tapiola Children's Choir (Erkki Pohjola) and the Ellerhein Children's Choir (Heino Kaljuste) were the first to perform the song. The mutual concert trips of the choirs, and other choirs besides, were organised by the secretary of the Finnish Choral Society, SULASOL, Uolevi Lassander who turned into a promoter of Estonian choral music in Finland. This song is dedicated to him, to the actual bridge-builder.

The *Bridge of Song* is based on old folk tunes. Each Finn knows the first verses of their national epic *Kalevala,* sung to an old *runo* tune; each Estonian knows the popular initial line of songs "Kui ma hakkan laulemaie" (When I start to sing). These are the two posts supporting the bridge.

Veljo Tormis

VELJO TORMIS

WORKS FOR WOMEN'S (OR CHILDREN'S) CHORUS

Kadrilaulud / St. Catherine's Day Songs*

Kaks osa tsüklist "Ingerimaa õhtud" /
Two parts from the cycle "Ingrian Evenings"**

Kiigelaulud / Swing Songs*

Kolm eesti mängulaulu / Three Estonian Game Songs***

Kolme Karjalan neitoa / Tres virgines Carelae /
Three Karelian Maidens

Laulusild / Bridge of Song

Raua needmine / Curse Upon Iron***

Sampo tagumine / Sammon takominen /
Forging the Sampo

Suomalais-ugrilaisia maisemia / Finno-Ugric Landscapes

* Sarjast "Eesti kalendrilaulud" / From the series "Estonian Calendar Songs"
** Sarjast "Unustatud rahvad" / From the series "Forgotten Peoples"
*** Naiskooriversioon / Version for Women's Chorus

"Looduspildid" / "Nature Pictures"

1. Kevadkillud / Spring Sketches
2. Suvemotiivid / Summer Motifs
3. Sügismaastikud / Autumn Landscapes
4. Talvemustrid / Winter Patterns

FENNICA GEHRMAN

KL 78.3413 / 78.3414

ISMN 979-0-55009-256-3

ISBN-13: 978-9517576420